La Planète du Temps

Une série adaptée de l'œuvre *Le Petit Prince* d'Antoine
de Saint-Exupéry pour la télévision par Matthieu Delaporte,
Alexandre de la Patellière et Bertrand Gatignol.
Réalisée par Pierre-Alain Chartier.

D'après l'épisode *La Planète du Temps* écrit
par Alexandre de la Patellière, Matthieu Delaporte
et Romain Van Liemt.

Le Petit Prince™ © 2010
D'après le chef-d'œuvre d'Antoine de Saint-Exupéry

Conception graphique du roman : cedricramadier.com

Le Petit Prince

La Planète du Temps

Adaptation de Fabrice Colin

GALLIMARD JEUNESSE

Les nouvelles aventures du Petit Prince

Sur l'astéroïde B612, le Petit Prince, son fidèle Renard et sa chère Rose mènent une existence harmonieuse.

Jusqu'au jour où le rusé Serpent tente de séduire la Rose. Rendu fou de rage par son échec, il décide de se venger. Éteignant une à une les planètes de la galaxie, il met le Petit Prince au défi de l'arrêter !

Accompagné de Renard, le Petit Prince se lance à la poursuite du Serpent, à bord de son avion, pour sauver les planètes et leurs habitants. Dans de périlleuses missions, il devra résoudre des énigmes et éviter les nombreux pièges que son ennemi sème sur sa route.

Mais avant de partir, il promet à sa Rose de lui écrire pour lui raconter ses fabuleuses aventures.

✧ Le Petit Prince ✧

Sensible et courageux,
le Petit Prince est un enfant
aux dons exceptionnels.
Ami des plantes et des
animaux, il sait voir « avec
le cœur », au-delà des apparences.

Débordant d'imagination,
il a le pouvoir de donner vie
à d'étonnantes créatures en soufflant
sur le carnet de
croquis qu'il garde
toujours avec lui.

Face au danger, le
Petit Prince peut se transformer.
Quand il place une main sur son
cœur, son flamboyant costume constellé
d'étoiles et son épée magique apparaissent.
De sa lame étincelante, il peut se battre contre
les Idées Noires et dessiner toutes sortes de
merveilleuses créatures qui prennent vie et l'aident
dans ses missions. Le Serpent n'a qu'à bien se tenir !

☆ Renard ☆

Renard accompagne le Petit Prince dans toutes ses aventures. Drôle, souvent râleur, parfois un peu froussard, il aime qu'on s'occupe de lui.

Mais il est aussi astucieux et aveuglément fidèle, et n'abandonnera jamais son ami dans les moments difficiles.

Pour lui, après une aventure pleine d'émotions, rien de tel qu'une partie de dames !

☆ La Rose ☆

Coquette de nature, impatiente et fragile, la Rose est la meilleure amie du Petite Prince, sa confidente passionnée.

Seule sur sa planète, elle attend chaque lettre du Petit Prince comme un trésor, et vit ses aventures à travers les mots que celui-ci lui envoie par-delà les étoiles…

✧ Le Serpent ✧

Rusé et tentateur, le Serpent utilise les mauvaises pensées des adultes pour semer le désordre partout où il passe.

Ce qui l'énerve le plus, chez le Petit Prince, c'est son innocence. Si seulement il pouvait le pousser à être un peu moins parfait !

✧ Les Idées Noires ✧

Ces créatures noires comme la suie aident le Serpent à accomplir son horrible besogne comme de bons petits soldats.

Obéissant aux ordres de leur maître, elles sont profondément stupides, mais deviennent redoutables lorsqu'elles attaquent en groupe sous la forme d'un monstre !

1
Une bien étrange planète

Assis sur l'aile de son avion, très concentré, le Petit Prince écrivait une lettre : « Comme tu me manques, douce Rose ! Mais quelles merveilleuses aventures nous vivons, Renard et moi ! Aujourd'hui, j'ai décidé de te raconter la fois où… »

Soudain, il se tourna vers Renard, qui faisait des bruits avec sa bouche.

– Tu ne peux pas arrêter ? J'essaie de me concentrer !

– Pardon d'exister !

Glissant sur la Voie lactée, l'appareil de nos héros filait vers sa nouvelle destination. Installé sur l'autre aile, Renard décida de bouder : son ami était toujours trop occupé pour jouer avec lui et il s'ennuyait.

– Nous arrivons ! s'écria le Petit Prince.

Tout excité, Renard se redressa. Son ami, qui avait rangé son carnet, se tenait debout sur son aile. Une planète s'annonçait : éteinte, et entourée de nuages noirs.

– Le Serpent est venu ici, remarqua le Petit Prince d'un air sombre. Nous ferions bien de nous dépêcher.

L'avion décrivit un looping, puis

effectua trois fois le tour de la planète. Pas facile de trouver une piste
sur un endroit aussi minuscule !

– Gare à l'atterrissage !

L'une des roues heurta un obstacle.
Éjectés de l'appareil, le Petit Prince et
son ami roulèrent au sol. Après plu-
sieurs cabrioles, Renard se retrouva
le museau enfoncé dans la terre.

– Pouah ! Heureusement que tu m'avais prévenu !

Le Petit Prince se pencha sur la roue de l'avion. Celle-ci avait buté sur une sorte de grosse montre. Il la ramassa et l'examina.

– Et voici notre premier indice ! Tu viens ? Nous devons trouver l'entrée.

La planète était déserte. Les aiguilles de la montre n'avançaient pas, mais le mécanisme produisait un tic-tac inquiétant qui résonnait de plus en plus fort. Renard fronça les sourcils.

– Je n'aime pas beaucoup ça.

Le Petit Prince s'arrêta… au milieu du vide.

– C'est ici !

– Je ne vois rien.

– Fais comme moi : ferme les yeux.

Renard soupira et obéit. Dans la

12

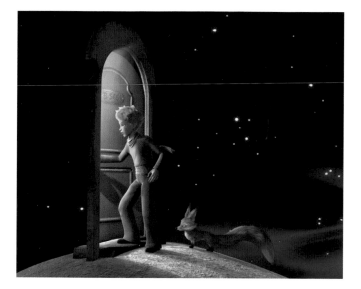

main de son ami, la montre se trans-
forma… en un bouton de porte.

Les deux compères rouvrirent les
yeux. Sur le bois de la porte, une pla-
que était gravée, portant un numéro :
B546.

Le Petit Prince tourna le bouton.
Presque aussitôt, un grondement
retentit.

– Tu as entendu ? s'étrangla Renard. On devrait fiche le camp d'ici.

Sans lui prêter attention, le Petit Prince franchit le seuil. Renard le suivit en grognant : il n'était pas rassuré.

De l'autre côté, un paysage enchanteur de collines et de prairies s'étendait. Renard retrouva le sourire.

– Regarde ça ! Toute cette belle herbe ! Il doit y avoir des vaches, par ici. Tu crois qu'ils font du fromage ?

– Chhhht. Écoute !

– Ben quoi ? s'étonna Renard. Je n'entends rien.

– Justement, répondit son ami, sur ses gardes. Moi, je ne trouve pas ça normal. Pas un oiseau, pas un insecte, pas même un souffle de vent…

2
La maladie
du temps

À peine avait-il prononcé ces mots que la terre tout entière se mit à trembler. BRAAAOUMM !

Perdant l'équilibre, les deux compères culbutèrent au bas de la butte. Ils se relevèrent d'un bond.

Le grondement avait cessé. Un sentier traversait la prairie. Le Petit Prince l'emprunta sans hésiter.

– On devrait…, commença Renard.

Mais le Petit Prince était déjà loin. Il le suivit en râlant.

Les deux amis avançaient prudemment, observant les alentours. Bientôt, ils découvrirent une clairière, où se trouvaient un arbre et une fontaine. Renard, qui avait très soif, se précipita vers la fontaine en tirant la langue.

– De l'eau, enfin !

Mais il s'arrêta bien vite. L'eau était solide et gluante. Le jet ressemblait à un bâton de guimauve !

– Incroyable ! Tu as déjà vu ça, Petit Prince ?

Accroupi devant une feuille morte suspendue en l'air, son ami se releva.

– Et toi, tu as déjà vu une feuille qui refuse de tomber ?

Renard le rejoignit et posa une patte sur la feuille qui rebondit, comme accrochée à un ressort. Il s'esclaffa :

– Hé, hé ! Elle n'a vraiment pas envie de tomber, hein ! Boing ! Boing !

Songeur, le Petit Prince se releva et regarda autour de lui.

– Étrange… On dirait que le temps s'est… arrêté.

Il s'éloigna. Renard, qui continuait de jouer, redressa la tête. Après un dernier coup de patte sur la feuille, il rattrapa son ami.

Au milieu d'un champ, ce dernier observait une petite créature, figée, fourche à la main, devant une charrette de foin : un Tichrono.

– Il y a bien des habitants sur cette planète, déclara le Petit Prince en remarquant aux alentours d'autres personnages qui ressemblaient à des statues. Mais, pour eux aussi, le temps s'est arrêté.

Le Tichrono portait une montre autour du cou.

– Les aiguilles n'avancent plus, remarqua le Petit Prince. De plus en plus bizarre…

Il risqua une main. Immédiatement,

une forme sombre apparut, qui fondit droit sur eux.

– Une Idée Noire ! s'exclama Renard, effrayé.

– C'est bien ce que je pensais, murmura le Petit Prince en regardant approcher la créature. Ce fichu Serpent est passé par là !

Renard, qui avait décidé de faire preuve de courage, montra les crocs. Mais l'Idée Noire ne s'intéressait pas à lui : elle avala la montre d'un coup… et repartit comme un éclair, emportant le malheureux Tichrono avec elle.

Le Petit Prince s'élança à sa poursuite.

– Rattrapons-la !

Courant à son côté, Renard se plaignait encore :

— Pourquoi c'est toujours nous qui devons régler les problèmes ? De toute façon, on peut s'arrêter : elle nous a semés !

Il avait raison.

Le Petit Prince cessa de courir. L'Idée Noire avait disparu au loin et le calme était revenu. En contrebas, un charmant village se dessinait.

– Viens, dit le Petit Prince. Allons jeter un œil.

Sur la place du village, où se dressait un beffroi, ils retrouvèrent le Tichrono au milieu des autres habitants, tous paralysés comme lui. Le Petit Prince plissa les yeux.

– Les Idées Noires doivent être toutes proches.

Les Tichronos pointaient du doigt le sommet de la tour. Le Petit Prince suivit leur regard.

– Et voici la clé du mystère…

3
À l'assaut de la tour

– Eh bien ? soupira Renard. C'est une horloge qui ne marche pas. Pas de quoi écrire un roman !

– Regarde mieux, chuchota le Petit Prince.

Effectivement, il y avait quelque chose, ou plutôt quelqu'un, en haut de la tour : un petit Tichrono, tenant une clé. Stoppé dans sa montée, tout près de son but, il était suspendu à l'une des aiguilles.

Renard renifla.

– Il va attraper des crampes si on le laisse là-haut. Tu n'aurais pas une échelle ?

– Mieux que ça ! s'exclama le Petit Prince. J'ai des dessins !

Sortant son carnet de croquis, il le feuilleta jusqu'à ce qu'il tombe sur la page qui l'intéressait : celle du mouton.

Levant son carnet à ses lèvres, il souffla sur le dessin. Celui-ci se détacha en virevoltant et se rétablit au sol… sous la forme d'un véritable mouton !

Ravi, le Petit Prince répéta l'opération. Bientôt, un troupeau entier se

retrouva à bêler sur la place. Renard fit la moue.

– C'est ça, ta solution ?

Le Petit Prince glissa quelques mots à l'oreille du premier mouton. Celui-ci parut comprendre : il hocha gentiment la tête, puis se tourna vers les autres et leur transmit le message.

Un deuxième mouton grimpa sur le premier. Puis un troisième, et un quatrième… jusqu'à former une impressionnante tour de coton.

Prenant son élan, le Petit Prince se lança à l'assaut de l'échelle vivante et, quelques protestations plus tard, arriva à la hauteur des pieds du Tichrono. Resté en bas, Renard était inquiet :

– Tu es sûr de toi ?

– Si ce Tichrono pensait que l'horloge avait besoin d'être remontée, lui cria le Petit Prince, il devait avoir une bonne raison !

La conversation s'arrêta là. Une puissante secousse ébranla la terre, et… patatras ! La tour de moutons s'écroula. Il en pleuvait de partout : Renard eut à peine le temps de s'écarter. Le Petit Prince, lui, bondit pour s'accrocher aux pieds du Tichrono. Hélas ! Comme il était un peu trop lourd, le petit être commença à glisser.

La chute était proche…

Tendant les doigts, le Petit Prince attrapa la clé. Même pour lui, elle était énorme. Baissant les yeux, il évalua la distance qui le séparait du sol. La main du Tichrono allait lâcher. Trop tard pour réfléchir !

« Il ne va quand même pas sauter… », songea Renard – tout en se rendant compte que, si, bien sûr : son ami allait tenter l'impossible.

Le Petit Prince s'élança, tendit le bras… et parvint de justesse à planter la clé dans la serrure de l'horloge.

À présent, il était suspendu par cette clé et ses pieds pendaient dans le vide. Renard ferma les yeux.

– Ne tombe pas ne tombe pas ne tombe pas…

Le Petit Prince essayait désespérément de faire tourner la clé.

– Alors ? cria Renard.

– C'est coincé !

Le Petit Prince poussa de toutes ses forces et réussit à faire bouger la clé de quelques centimètres.

– Ça y est, ça commence à réagir !

Bizarre, comme cette serrure résistait : on aurait dit que quelqu'un, quelque part, tirait l'aiguille dans l'autre sens ! Le Petit Prince insista encore.

D'un coup, la clé céda, et l'aiguille avança enfin. Entraîné par le mouvement, le Petit Prince ne tenait plus que par une main.

Une grande explosion silencieuse, partie du cadran, se répandit alors à travers tout le village. Sous le choc, le Petit Prince lâcha prise.

– Petit Prince ! s'écria Renard.

Mais, au dernier moment, une main retint son ami. C'était le Tichrono à la clé, qui vivait et bougeait de nouveau.

– Eh bien, p'tit gars, tu t'en vas déjà ?

4
À la recherche du Grand Horloger

Renard laissa exploser sa joie :

– Youpi !

Son cri fut aussitôt repris en chœur :

– Hourra ! Hourra !

Tous les Tichronos de la place étaient revenus à la vie ! Ils se sautaient dans les bras les uns les autres.

L'un d'eux, saisissant Renard, se mit à courir partout en le portant en triomphe.

– C'est fou, non ? Je soulève un renard et je cours partout, je cours, je cours, ouaaaaais !

Renard haussa un sourcil.

– Génial. On a sauvé un village de fous.

Le Petit Prince et son sauveur, Caracatus, ne tardèrent pas à le rejoindre.

– Merci de ton aide, déclara le Petit Prince au Tichrono. Mais nous n'allons pas nous attarder ici. Nous devons trouver celui que le Serpent a mordu et qui est sans doute à l'origine de vos problèmes.

Le Tichrono prit un air étonné.

– Repartir, déjà ? Pourquoi ne pas t'arrêter un peu, p'tit gars ? Regarde ton copain le chien ! Il a bien besoin d'une pause !

– Je ne suis pas un chien, se vexa Renard, je… (Il s'arrêta, humant l'air :) Oh, oh ! Quelqu'un est en train de faire cuire une meringue.

Le Petit Prince s'indigna :

– La planète est en danger et toi, tu ne penses qu'à ton estomac !

– Il a raison ! s'exclama Caracatus. On ne part pas à l'aventure le ventre vide. Allons festoyer !

Renard sourit de toutes ses dents et, sur les talons de son nouvel ami, rejoignit les autres Tichronos. Le Petit Prince le regarda partir avec un pincement au cœur.

Le lendemain matin, dès l'aube, nos deux amis se remirent en route. Caracatus, qui les accompagnait, portait la clé.

Renard, lui, dégustait un reste de gâteau à la crème. Il était ravi de sa soirée. Surexcité, le Tichrono sautait de rocher en rocher en criant :

– Réjouissez-vous, amis Tichronos ! Caracatus a sauvé votre horloge, il sauvera votre planète !

Indigné, Renard se tourna vers le Petit Prince.

– Et nous, alors ? On n'a rien fait ?

– Je ne sais pas, répondit le Petit Prince avec une pointe d'ironie. Tu n'as qu'à demander à *ton ami*.

Caracatus repartit.

– Allez, les p'tits gars. À la charge !

Il faisait tournoyer sa clé comme

un chevalier son épée. Le Petit Prince le rattrapa.

– Dis, les horloges ne tombaient jamais en panne, avant ?

– Avant, il y avait le Grand Horloger : c'est lui qui réglait les horloges de toute la planète. Mais du jour au lendemain, il a disparu, pfuit ! Donc, quand l'horloge de notre village s'est arrêtée, c'est moi qui m'en suis occupé. Moi, le sauveur du monde libre !

Le Petit Prince se pencha vers Renard.

– Tu ne le trouves pas un peu… agaçant ?

Son ami secoua la tête.

– Je ne vois pas de quoi tu parles.

Le Petit Prince le laissa à ses pensées. Caracatus, qui trottait à ses côtés, posa la question qui lui brûlait les lèvres :

– Tu es vraiment un prince ? Le fils d'un roi ou un truc de ce genre ?

– Non, répondit doucement le Petit Prince.

– Mais… tu as bien un château, quand même ?

– J'ai trois volcans.

– Ah. Et, euh, il y a une princesse ?

– Non. Il y a une rose, et elle est plus importante que toutes les prin-cesses du monde.

Perché sur une colline, le trio découvrit un autre village niché dans la vallée.

Le Petit Prince se gratta la tête.

– Tu es sûr qu'il est dans le coin, ton horloger ? C'est peut-être lui que le Serpent a mordu.

Le Tichrono parut surpris.

– Un serpent ? Il n'y a pas de serpent chez le Grand Horloger : rien que des horloges. Fais confiance à mon instinct, p'tit gars.

Il repartit en avant. Le Petit Prince laissa Renard revenir à sa hauteur.

– Il a déniché le village d'à-côté. Quel instinct, en effet !

Renard sourit dans ses moustaches.

– Dis, tu ne serais pas un peu jaloux, par hasard ?

– Jaloux ? Jaloux ? (Le Petit Prince parut réfléchir.) Qu'est-ce que ça veut dire, jaloux ?

5
De plus
en plus vite !

Les trois explorateurs progressaient maintenant sur un chemin escarpé. Comme à son habitude, Caracatus se conduisait en chef.

– Allez, plus vite ! Dépêchons-nous pendant qu'il fait encore jour !

À peine avait-il prononcé ces mots que la nuit tomba, tel un rideau de fer. Épuisé, Renard sauta de joie.

– Enfin ! L'heure de dormir !

Roulé dans l'herbe, il ferma les yeux avec un soupir d'aise. Quelques secondes plus tard, le jour était revenu.

– Hein ?

C'était à n'y rien comprendre.

– La nuit est finie ! s'exclama Caracatus, ravi. Compagnie, en route !

Déjà, il était reparti. Renard le suivit en gémissant. Le Petit Prince était plus intrigué que jamais.

– Tout s'accélère, murmura-t-il pour lui-même. Le temps est vraiment complètement détraqué.

Après une ascension interminable, le second village se dévoila enfin. « Étrange », songea le Petit Prince. En effet, les Tichronos qui habitaient ici paraissaient tous épuisés. De vrais zombies ! Ils avançaient paupières mi-closes, attrapant lentement leurs outils, se rendant aux champs plus lentement encore… avant de faire demi-tour la seconde d'après parce que la nuit était revenue. Sans le vouloir, l'un d'eux se cogna au Petit Prince.

– Hein ? fit-il, subitement réveillé. Il faut que j'aille planter, vite !

Contournant le Petit Prince, il fonça vers son champ en zigzaguant. Caracatus l'arrêta au passage.

– Hé ! protesta le petit homme.

– Inutile de courir, jeune Tichrono. Tu as rêvé d'un héros, je suis là !

Caracatus se jucha sur un tonneau, prêt à poursuivre :

– Et maintenant...

Hélas pour lui, la nuit retomba d'un coup.

– Bon, soupira-t-il, là, on ne le voit pas bien parce qu'il fait un peu noir, mais en vérité, j'ai l'air super.

Un nouveau jour se leva. Le dixième ? Le centième ? Les aiguilles de l'horloge du village, qui ressemblait à un énorme réveille-matin, tournaient désormais à toute allure. Il fallait agir ! Enfourchant la grande aiguille, le Petit

Prince parvint au sommet en un clin d'œil. Au bas du cadran, Caracatus suivait la manœuvre.

– Tiens, p'tit gars, à toi !

Il lança la clé. Le Petit Prince l'attrapa au vol et la planta au cœur du cadran.

– Alors ? s'inquiéta Caracatus.

Avec un « clonk » léger, l'aiguille s'arrêta, avant de repartir normalement.

– Ça marche ! s'exclama le Petit Prince avec un sourire de triomphe.

Regroupés sur la place, les Tichronos sautèrent de joie.

– Hourra !

Quelques secondes plus tard, le Petit Prince reprit pied sur la terre ferme. Fidèle à son habitude, Caracatus se laissait acclamer par la foule des Tichronos.

Renard leva les yeux au ciel. Le Petit Prince s'apprêtait à lui glisser un mot, lorsque la terre se remit à trembler. Panique générale ! Tous les Tichronos coururent s'enfermer chez eux.

– Caracatus, demanda le Petit Prince, une fois le vacarme apaisé, combien y a-t-il d'horloges sur cette planète ?

Le Tichrono se gratta la tête.

– Excellente question. Autant qu'il

y a de villages : des centaines. Je le sais car je les ai toutes étudiées. Personne sur cette planète n'en sait autant que moi sur les horloges. À part le Grand Horloger, bien sûr.

Le Petit Prince s'impatienta.

– Mais où est-il, ce Grand Horloger ? Le temps est devenu fou, il faut absolument le retrouver !

– Euh, Petit Prince…

Renard désignait l'horizon. Une horde d'Idées Noires venait d'apparaître au loin et fonçait droit sur eux.

– Elles n'ont pas l'air très contentes qu'on ait remis le temps en marche, fit remarquer Renard.

– Elles n'ont *jamais* l'air contentes, rectifia le Petit Prince.

Prêt à l'assaut, Caracatus passa devant eux.

– Doucement, lui conseilla le Petit Prince. On ferait mieux de réfléchir à un plan et…

Trop tard ! Les Idées Noires arrivaient comme une tornade. Bientôt, elles fondirent sur le village. Il y eut un moment de confusion et de bousculade. Le calme revenu, les Idées Noires avaient disparu.

– Ça alors ! s'étonna Renard, où sont-elles passées ?

Caracatus se dandinait fièrement :

– Je les ai fait fuir !

Il se réjouissait un peu vite : tourbillonnant autour de l'horloge, les créatures formèrent bientôt un dragon grouillant d'ombre et de fer, qui crissait d'horrible façon.

Aux côtés de ses amis, le Petit Prince battit en retraite.

Il avait beau croire en sa bonne étoile, il se demanda s'il reverrait sa douce Rose un jour…

6
Terrible
Drachrono !

– Incroyable ! chuchota le Petit Prince.

– Répugnant, ajouta tout bas Renard. Énorme, effrayant !

Caracatus, lui, ne paraissait pas impressionné. Brandissant sa clé, il se précipita vers l'énorme créature.

– À la chaaaarge !

Le Petit Prince n'eut pas le temps de le retenir. Le dragon de fer – un Drachrono ! – souffla un puissant jet sur lui, qui l'emprisonna.

– À la chaaaarge ! À la chaaaarge ! À la chaaaarge !

Caracatus était pris dans une bulle de temps et condamné à répéter sans cesse les mêmes gestes, comprit le Petit Prince.

Le moment était venu de passer à l'action. Le Petit Prince posa une main sur son cœur. En un éclair, il se retrouva vêtu de son costume bleu étoilé. Tendant la main, une épée étincelante apparut aussitôt à son poing.

– Occupe-le ! cria-t-il à Renard en s'élançant.

Sans hésiter, son ami se jeta sur le

monstre et planta ses crocs dans sa carapace. Le Drachrono hurla, se débattit, souffla de plus belle.

– J'arrive ! se mit à répéter Renard en boucle.

À présent, lui aussi était prisonnier d'une bulle de temps. Décidé à en finir, le Drachrono se retourna vers le Petit Prince. Celui-ci pointa son épée dans les airs. En deux ou trois moulinets, il traça les contours d'une étrange créature : quelque chose comme le mélange d'un éléphant et d'un rhinocéros, solide comme un roc. Un éléphanocéros !

Courageusement, l'animal se rua sur son ennemi. Le choc fut terrible et, pendant quelques minutes, le combat indécis. Un assaut, puis un autre ! Hélas ! le Drachrono était

de toute évidence plus fort. Le Petit Prince, qui était venu se joindre à la mêlée, ne voulait pas que sa créature se fasse tailler en pièces.

– Va-t'en, lui conseilla-t-il pour l'épargner.

Épée levée, il attaqua à son tour. Le Drachrono émit un rugissement. Fondant sur lui, le Petit Prince lui trancha d'un coup de lame une patte, qui se reforma aussitôt. Le monstre était très en colère. D'un moulinet, le Petit Prince en profita pour crever la bulle qui retenait Renard prisonnier. Son ami cessa de courir en vain.

– Ooh, gémit-il, je ne me sens pas très bien.

Le combat continuait de faire rage. Comment vaincre le Drachrono ? L'éléphanocéros avait disparu, et les coups d'épée du Petit Prince ne paraissaient guère efficaces.

Notre héros plissa les yeux. À l'intérieur du monstre, l'horloge du village continuait de tourner. Elle était là, la solution ! Souriant soudain, le Petit Prince lâcha son épée.

– Prêt pour un voyage dans le temps, Renard ?

Sans attendre la réponse, il souleva son ami de terre, courut vers le Drachrono et plongea dans sa gueule grande ouverte.

Après une chute vertigineuse, il retrouva rapidement l'horloge du village.

– On va revenir quelques secondes en arrière, expliqua-t-il à Renard :

juste avant que les Idées Noires ne transforment l'horloge en monstre.

Attrapant l'aiguille, il se mit à pousser de toutes ses forces avec l'aide de son ami pour la faire tourner à l'envers. Le mécanisme résistait mais, grâce à leurs efforts, finit par céder. La seconde d'après, une bourrasque s'empara d'eux et les projeta au-dehors.

Étourdis, ils se relevèrent. La scène qu'ils avaient déjà vécue était prête à se répéter. Caracatus allait repartir à l'assaut.

Cette fois cependant, le Petit Prince lui arracha la clé des mains et courut jusqu'à l'horloge. Quand il revint, il tenait entre ses doigts une pièce du mécanisme. Les Idées Noires, qui fonçaient sur eux, engloutirent de nouveau l'horloge et, en quelques secondes, reformèrent le Drachrono. Mais cette fois, un bruit de mécanisme enrayé se fit entendre. Quelque chose manquait.

Il y eut une série d'horribles grincements. La créature se tordit sur elle-même… puis explosa !

Triomphant, le Petit Prince se retourna vers son ami.

– Tu as vu ça, Renard ?

Catastrophe ! Le compagnon du Petit Prince venait de se faire enlever, bâillonné par une Idée Noire.

Se débattant tant bien que mal, il pointait quelque chose de sa patte.

– Mmmmmffggmmm !

Un peu plus loin, deux autres Idées Noires s'occupaient de Caracatus, le tirant par les pieds. Le Tichrono se tortillait avec vigueur.

– Vous… allez… le regretter !

Le Petit Prince voulut se porter à son secours. Mais trop tard ! Comme Renard, le Tichrono avait été emmené au loin.

Sans attendre, leur ami se lança à leurs trousses.

7
L'erreur
du Serpent

Le Petit Prince courut longtemps, à perdre haleine. Mais les Idées Noires étaient beaucoup trop rapides.

Épuisé, il s'arrêta. Son épée avait disparu, tout comme son beau costume. Comment retrouver ses amis, à présent ? Le désespoir l'envahit.

Parmi les ombres qui l'entouraient, une forme émergea bientôt d'une fissure et se coula jusqu'à lui en sifflant. Le Serpent, son vieil ennemi !

— Comme c'est triste ! J'arrive juste un peu trop tard… Difficile d'être à l'heure sur cette planète, pas vrai ?

La voix était mielleuse, séduisante. Le Petit Prince serra les poings.

— Qu'est-ce que tu veux ?

— Moi ? Mais t'aider, voyons. Je ne fais que ça, tu sais : aider les gens.

Le Petit Prince le fusilla du regard.

— Menteur ! Tu sèmes le mal partout où tu passes !

— Comme tu es injuste. Laisse-moi te raconter une histoire…

Et le Serpent expliqua au Petit Prince ce qui s'était passé chez le Grand Horloger : il avait trouvé le vieil homme assis à son atelier en train de réparer une horloge. Les pièces étaient si petites qu'il avait du mal à les distinguer et ses mains tremblaient en manipulant les mécanismes compliqués. Comprenant que le Grand Horloger, fatigué, n'y arrivait plus, le Serpent lui avait soufflé un conseil : « Tu es si vieux, il est temps

de céder ta place. C'est si facile… Il suffit de remonter le cours du temps pour redevenir un enfant… ». Le vieil horloger avait hésité : abandonner sa planète en laissant le temps… sans surveillance ? Le Serpent avait alors insisté : « C'est simple… et rien n'est grave… »

– Grâce à moi, conclut le Serpent, le vieil homme n'a plus rien à faire, désormais. Il est tellement heureux qu'il en gazouille de plaisir…

Le Petit Prince fronça les sourcils.

– Où est Renard ?

– Avec son ami, voyons. Son ami Caracatus !

Le regard du Petit Prince s'assombrit. Le Serpent humait l'air.

– Snif… Mais… qu'est-ce que je sens ? Serait-ce possible ? On dirait

l'odeur de… Oui, c'est ça! De la jalousie!

Furieux, le Petit Prince avança vers lui.

– Tu dis n'importe quoi!

Mais le Serpent continuait de chuchoter :

– Ton Renard est ami avec quelqu'un d'autre. Cela t'ennuie, hein? Crois-moi, tu ferais mieux de l'oublier. Laisse-moi te ramener chez toi, près de ta Rose. Elle pense à toi, elle. Elle t'attend…

Le Petit Prince hésita un instant, avant de se reprendre.

– Je ne peux pas partir sans Renard…

– Qui te dit qu'il a besoin de toi ? Il a déjà un ami…

Sans l'écouter, le Petit Prince se dirigea vers un rocher voisin.

– Je me demande jusqu'où il faut monter pour voir la tour du Grand Horloger.

– En vérité, répondit le Serpent, personne ne l'a jamais vue, cette tour. Pour l'apercevoir derrière les nuages, il faudrait grimper sur…

– Merci beaucoup !

Le Petit Prince s'élança vers la montagne, sautant de rocher en rocher.

– Hé ! s'exclama le Serpent, où vas-tu ?

– Chez le Grand Horloger. Merci pour ton aide, Serpent ! Maintenant, je sais comment retrouver la tour…

Son ennemi, furieux, tenta en vain de l'arrêter :

– Reviens !

8

Retrouvailles

Arrivé au sommet de la monta-
gne, le Petit Prince s'arrêta et, feuille-
tant son carnet de dessins, choisit le
croquis d'un cerf-volant. Soufflant
dessus, il le saisit et attrapa quelques
nuages avec.

Un peu plus tard, aux commandes
de son aile nuageuse, il décolla.

Haut dans le ciel, il pouvait scruter l'horizon. La surface de la planète était creusée d'immenses crevasses qui, toutes, pointaient vers le même endroit : la tour du Grand Horloger !

Résolu, le Petit Prince plongea dans sa direction. À mesure qu'il approchait, cependant, il distingua d'innombrables Idées Noires, émergeant des crevasses. Son arrivée n'allait pas passer inaperçue.

Manœuvrant son appareil, il atterrit au cœur de la tour. Il se trouvait maintenant devant un gigantesque mécanisme d'horlogerie à plates-formes, au centre duquel trônait un globe symbolisant la planète. Sur ce globe, chacune des horloges était représentée. Les mécanismes étaient magnifiques, dorés, délicieusement

compliqués. Mais ils étaient aussi envahis par une végétation touffue, car le Grand Horloger avait cessé de s'en occuper.

Dans l'atelier du maître des lieux, le Petit Prince découvrit une étrange horloge, en forme de fleur de tournesol. Il la prit dans ses mains.

— Raconte-moi ce qui s'est passé.

Grâce à la fleur, le Petit Prince connut le dénouement de la scène entre le Grand Horloger et le Serpent. Le vieil homme avait longtemps hésité. Il n'ignorait pas qu'il était terriblement dangereux de remonter le temps. Mais la proposition du Serpent était tellement tentante… qu'il avait fermé les yeux et poussé en arrière les aiguilles de sa montre… Aussitôt, tout s'était mis à trembler dans la tour et les horloges du globe étaient devenues folles. Dans un rayonnement aveuglant, le Grand Horloger avait alors commencé à rajeunir !

Le Petit Prince ne put en savoir plus : une violente secousse ébranla la tour. La planète n'allait plus tarder à exploser !

Au même moment, un hurlement s'éleva des profondeurs. Renard! Le Petit Prince courut en direction du cri et s'arrêta net devant un gigantesque bébé qui soulevait Renard et Caracatus comme de simples jouets.

– Petit Prince! s'écria Renard. Oh, comme je suis content de te voir! Je suis désolé, je…

– Non, c'est moi, s'excusa le Petit Prince. Je n'ai pas fait assez attention à toi ces derniers temps.

– Mais on est toujours amis, n'est-ce pas? s'inquiéta Renard.

Caracatus s'impatientait :

– Dites, vous n'allez pas recommencer, tout de même! On est là pour retrouver le Grand Horloger.

L'énorme bébé se tourna vers eux en gazouillant. Il portait une montre

à gousset autour du cou. Une montre que le Petit Prince reconnut aussitôt, car ses aiguilles tournaient à l'envers.

– Le Grand Horloger ? Je crois que c'est lui qui nous a trouvés ! Regardez ce qu'il a autour du cou !

– Hé ! c'est vrai, s'écria Renard. Alors, si on répare la montre…

– Il redeviendra un adulte et j'aurai sauvé la planète ! termina Caracatus à sa place.

Tout en parlant, il tendait la main pour essayer d'attraper la montre.

– Trop court !

Renard essaya à son tour, mais un nouveau grondement, plus assourdissant encore que les précédents, fit vaciller la tour sur ses bases.

– On n'a plus le temps, décida le Petit Prince en s'approchant de

l'énorme bébé. Bonjour ! Je suis le Petit Prince. Et toi, tu es le Grand Horloger, tu t'en souviens ?

Le bébé le dévisageait en fronçant les sourcils. Renard grimaça :

– Tu ne pourrais pas lui demander de nous lâcher, pendant que tu y es ?

La terre n'arrêtait plus de trembler.

– C'est ta planète, murmura le Petit Prince au milieu du chaos. Elle a besoin de toi…

À cet instant, horreur ! Une Idée Noire surgit, arracha la montre à gousset et l'emporta dans un grand éclat de rire.

Contrarié, le bébé partit à quatre pattes à sa poursuite. Renard, Caracatus et le Petit Prince s'élancèrent à leur tour.

9
À la poursuite de l'Idée Noire

L'intérieur de la tour était un véritable labyrinthe, avec des escaliers dans tous les sens, des rouages et des plates-formes.

Très vite, le bébé disparut. Les trois amis, lancés à ses trousses, eurent tôt fait de se perdre.

Au détour d'un engrenage, Caracatus trébucha. Renard le rattrapa de justesse, mais perdit l'équilibre à son tour. Le Tichrono le retint.

– Merci, dit Renard.

– De rien.

– Mais j'aurais pu me sauver tout seul.

– M'étonnerait…

– Et comment ! Si tu crois que…

Il n'eut pas le temps d'en dire plus. Une vague d'Idées Noires ricanantes les submergea. Celle qui portait la montre à gousset passa entre eux. Elle s'éloigna sous leurs yeux, avant que le bébé, tombé de nulle part, n'écrase la troupe des autres créatures en riant aux éclats.

Le Petit Prince apparut alors.

– Bien joué, fit-il à ses amis. Continuez à les distraire !

L'Idée Noire qui emportait la mon-

tre était sur le point de sortir de la tour. Juché sur un engrenage, le Petit Prince sauta et atterrit juste devant elle, à bout de souffle.

– Fini de s'amuser !

L'Idée Noire ne ricanait plus. Le bébé arrivait derrière elle. Tournant la tête de côté, elle aperçut le Serpent, qui sifflait en direction d'une masse énorme, frappant le sol avec régularité. Comprenant ce qu'il attendait d'elle, l'Idée Noire lança la montre vers la masse. Le petit mécanisme roula sous les yeux du Petit Prince horrifié. Elle allait se faire écraser !

L'Idée Noire, elle, n'eut guère le temps de se réjouir : la main du bébé l'aplatit aussitôt comme une crêpe.

Et la montre ? Elle continua de rouler. Renard et Caracatus, qui s'étaient remis de leurs émotions, plongèrent ensemble pour la récupérer.

Caracatus tendit la main. Il la tenait enfin lorsque le Serpent apparut soudain.

– Bouh !

Terrorisé, le Tichrono laissa échapper la montre, qui roula sous la presse et fut écrasée en mille morceaux !

86

Renard ferma les yeux. Caracatus se figea. Le Petit Prince, lui, ne voulait pas y croire. Était-ce la fin de la planète du Temps ?

10
Une montre
à réparer

La terre tremblait de plus en plus fort. Quelques secondes encore, et la tour allait s'effondrer. Inquiet, le bébé regardait partout autour de lui. Le Serpent se glissa doucement vers le Petit Prince.

– Et maintenant ?

Le bébé rassemblait les morceaux éparpillés de la montre.

– Caracatus! cria le Petit Prince, va chercher ses outils, vite!

Puis, se tournant vers Renard avec espoir :

– C'est peut-être un bébé, mais il n'a pas oublié les gestes!

Caracatus ne tarda pas à revenir. Le bébé attrapa ses outils et se mit aussitôt au travail, avec l'aide du Tichrono. Médusé, le Serpent leur tournait autour.

– Tu es fou! Pourquoi t'embêter avec tout ce travail, ces responsabilités? Tu es un enfant, amuse-toi!

– C'est ce qu'il fait! rétorqua le Petit Prince. Un vrai jeu d'enfant!

Maladroitement d'abord, puis avec de plus en plus d'assurance, le bébé réparait sa montre. Patiemment, il ajustait les pièces une à une.

Mais tout tremblait encore, avec d'affreux grondements de tonnerre. La tour allait s'écrouler ! « Nous sommes perdus », songea le Petit Prince.

– Grand Horloger, vite !

Au tout dernier moment, le mécanisme émit un cliquetis et les aiguilles se remirent enfin en route. La montre était réparée !

Une lumière brumeuse enveloppa le bébé, qui se mit à grandir, grandir…

Peu à peu, les brumes se déchirèrent. Là où s'était assis le bébé se tenait maintenant un vieil homme.

Furieux, vaincu, le Serpent disparut en sifflant.

— Ingrat…

Les Idées Noires s'étaient évaporées, elles aussi. Désorienté, le Grand Horloger sentait la terre trembler.

— Vite ! lui souffla le Petit Prince. Il faut sauver votre planète.

— Tout… tout seul ? Je n'y arriverai pas ! Il me faut de l'aide.

Caracatus bondit, sa clé en avant.

— À votre service !

Ensemble, tous deux entreprirent alors de réparer les horloges du globe. Plus rien ne pouvait les arrêter.

Un splendide coucher de soleil embrasait la planète. Les Tichronos étaient en joie. Le calme était revenu.

Du sommet de sa tour, le Grand Horloger admirait le coucher de soleil.

– Comme c'est beau… murmura-t-il. C'est la première fois que je prends le temps de regarder tout ça. Cependant, une chose m'inquiète.

– Laquelle ? demanda le Petit Prince, qui se tenait à ses côtés.

– Qui va prendre ma place, désormais ? Qui va s'occuper des horloges ?

À quelques pas de là, Caracatus montrait un mécanisme à Renard et lui parlait des joies de l'horlogerie. Le Petit Prince sourit.

– Je crois que vous n'aurez pas à chercher bien loin.

La nuit tombait, paisible, illuminée. Là-haut pourtant, quelque part au cœur de l'espace immense, une étoile avait cessé de briller.

– C'est le moment des adieux, fit le Petit Prince, que Renard avait rejoint. Nous devons vous laisser : d'autres planètes ont besoin de nous.

Ils regagnèrent leur avion côte à côte. Pendant un long moment, ils n'échangèrent pas une parole. Le monde des Tichronos avait retrouvé la paix, et ils étaient heureux d'y avoir contribué. Mais cela n'était rien à côté du bonheur simple qu'ils éprouvaient d'être ensemble. Ils avaient cru se perdre ; ils se redécouvraient. Pour finir, Renard se tourna vers le Petit Prince.

– On va rejouer aux dames, hein ?

– Bien sûr, dit le Petit Prince. Rien n'a changé, tu sais.

L'avion prit bientôt son envol dans un poudroiement féérique. Le Petit Prince et son ami se retournèrent. Dans leur sillage, une certaine planète B546 brillait de nouveau.

Le papier de cet ouvrage est composé de fibres naturelles,
renouvelables, recyclables et fabriquées à partir de bois
provenant de forêts plantées et cultivées expressément
pour la fabrication de la pâte à papier.

Loi n°49-956 du 16 juillet 1949 sur les publications
destinées à la jeunesse.

ISBN : 978-2-07-069602-4
Numéro d'édition : 177865
Dépôt légal : novembre 2010
Imprimé en France chez Pollina - L54637